Antonio Anastas

UN AGUJERO
EN EL ALA

Ilustraciones de
Caridad Pérez Aznar

ENCUENTRO

—apá, papá, ¿por qué ese ángel tiene un agujero en el ala?

El pequeño Carlos tiraba de la manga de su cansado papá que intentaba entrar en la capilla de las misas ordinarias, las que no se celebran los días festivos, detrás del altar mayor de la catedral de Milán. Luis estaba demasiado cansado para prestar atención a su hijo... Por eso, éste le volvió a preguntar:

—Sí, papá, ese ángel de ahí —el niño señalaba con su dedo índice la imagen que está al lado del sagrario—, el que está al lado de Jesús.

—Ahora tenemos que entrar, va a empezar la misa —dijo Luis—; si te portas bien y estás atento, papá te contará después la historia de ese ángel que tiene un agujero en el ala.

Sin embargo, Luis pensaba para sus adentros: «¡Vaya con mis promesas! Y luego, ¿qué le cuento yo?».

Había sido un día muy duro de trabajo y había decidido que ese día, como siempre llegaba tarde a casa, saldría antes de su trabajo para llevar al pequeño a misa. Faltaban pocos días para la Navidad y quería pasar un rato con él, quería que sintiera en su corazón la verdadera Navidad. Por eso, además de pasear por las calles del centro de la ciudad, todas llenas de luces y de deslumbrantes escaparates, había decidido entrar en la iglesia con su hijo.

La homilía del sacerdote no era muy apasionante y el cansancio de Luis se dejaba ver...

En la pequeña explanada cerca de un bosque de olivos había todo un pelotón de ángeles, doce para ser exactos. El cielo estaba gris y prometía nieve; un ligero aire frío y punzante movía las ramas de los árboles. Desde un pequeño agujero entre las nubes asomaba un polvo de estrellas diminutas, que se reflejaba con luz resplandeciente sobre las cabelleras del pequeño pelotón. Todos de pie y bien alineados en filas de a cuatro, los ángeles escuchaban atentos el discurso de su capitán:

—¡Recordad nuestra importante misión! Esta noche acompañaremos al pequeño Rey en su fuga hacia el país de Egipto.

Vino al mundo hace poco tiempo, pero hay quien quiere matarlo ya. Hemos avisado a José y a los reyes de Oriente. Ahora nos toca actuar a nosotros. ¡Pero recordad: no tenemos que interferir en los asuntos de los hombres, seremos invisibles a su mirada! Sólo nos ocuparemos de proteger a nuestro Rey y tenerlo oculto a los ojos de los hombres durante un tiempo. Él y su familia pasarán desapercibidos si nosotros los escondemos. Pero recordad bien la orden que ha dado Miguel, nuestro mismísimo General: «¡No interfiráis!».

La mirada del capitán parecía ir dirigida al último ángel de la derecha, en la última fila. Se quedó mirándolo fijamente un instante y después todos se pusieron en marcha.

Joaquín, el último ángel del grupo, había pasado los últimos días dando rienda suelta a sus propios pensamientos. El Verbo divino había nacido como un niño y ahora estaba tendido, en pañales, sobre las pajas de un pesebre. Había nacido pobre, en un pesebre, sin ningún honor, sin ninguna fiesta. Sólo sus amigos del primer coro angélico, los ángeles de la gloria, habían tenido el honor de poder cantar para Él. ¡Qué misterio tan grande! Joaquín había estado allí de guardia la primera noche y ése había sido además su primer contacto con los humanos.

¡Qué pobres eran los pastores que habían ido a adorar al pequeño Rey! Entre ellos también había un chico, un niño. Tenía los ojos grandes y despiertos y Joaquín había podido leer en ellos la admiración y la pobreza, pero sobre todo una gran esperanza nueva.

A lo mejor empezaba a saber algo más de su pequeño Rey, algo más de aquel nacimiento misterioso. Hubiera querido saber más aún, hubiera querido incluso ser uno de esos pastores para entender por qué su Rey se había hecho pequeño como uno de ellos, pequeño como uno de sus pequeños.

Mientras avanzaba, sus pensamientos lo bombardeaban tanto que no se había dado cuenta de que el pelotón ya rodeaba al Rey y que la familia había retomado lenta y pacientemente su propio camino. No debían de haber recorrido mucho tramo cuando, a lo lejos, se oyó un gran estruendo.

—¡Los soldados! —dijo José—. Corren hacia el pueblo. —Y siguió tirando del asno vehementemente, aumentando cada vez más el ritmo.
—Tenemos que darnos prisa —dijo—.

Mientras todos corrían, Joaquín oía gritos a lo lejos. Eran gritos de dolor y de tormento, y en medio de ellos reconocía el llanto de los niños.

Lo sabía porque el día anterior su pequeño Rey también había llorado, pero después, cuando su madre lo cogió entre sus brazos, se quedó tranquilo. Reconocía ese llanto, aunque ahora parecía diferente, más agudo y atormentado del que había oído la mañana que apareció en el rostro de su Señor. Fue esto lo que le hizo comprender: ¡Los soldados buscaban al Rey, pero no sabían quién era, y por eso estaban matando a todos los niños!

De repente se sintió ofendido. Sentía una sombra oscura que le bajaba y oscurecía la pureza de su luz angelical. Algo captó su atención. Podía parecer extraño, pero entre todos esos gritos, uno parecía más cercano, mejor dicho, no se trataba de uno sino más bien de… ¡dos gritos distintos! Un grito humano y el llanto de un niño.

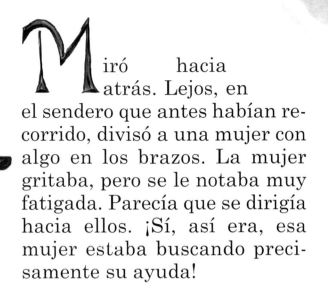

Miró hacia atrás. Lejos, en el sendero que antes habían recorrido, divisó a una mujer con algo en los brazos. La mujer gritaba, pero se le notaba muy fatigada. Parecía que se dirigía hacia ellos. ¡Sí, así era, esa mujer estaba buscando precisamente su ayuda!

En el pequeño pelotón que se movía a marchas forzadas nadie parecía haberse dado cuenta de todo esto. Sus compañeros tenían en mente sólo su misión; María y José estaban preocupados por el pequeño y se apresuraban en su huída.. ¿No debería detenerlos para pedir al capitán permiso para ayudar a esa mujer que corría con aquel niño en sus brazos? No debía, no. Era importante correr. Y, además, el capitán le habría recordado las órdenes dadas: tenían que esconder al pequeño Rey y no interferir en los asuntos de los humanos. Y las órdenes, cuando se vuelven a recordar, son órdenes en toda regla.

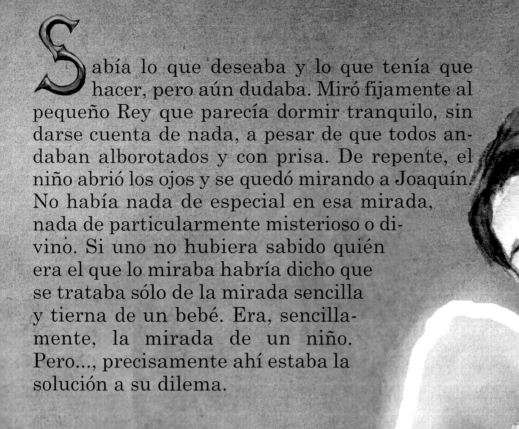

abía lo que deseaba y lo que tenía que hacer, pero aún dudaba. Miró fijamente al pequeño Rey que parecía dormir tranquilo, sin darse cuenta de nada, a pesar de que todos andaban alborotados y con prisa. De repente, el niño abrió los ojos y se quedó mirando a Joaquín. No había nada de especial en esa mirada, nada de particularmente misterioso o divino. Si uno no hubiera sabido quién era el que lo miraba habría dicho que se trataba sólo de la mirada sencilla y tierna de un bebé. Era, sencillamente, la mirada de un niño. Pero..., precisamente ahí estaba la solución a su dilema.

¡La mirada de su rey era como la mirada de aquel pequeño que chillaba a lo lejos, en brazos de su madre!

Ahora lo entendía y sus dudas desaparecieron de inmediato.

Lentamente, sin que lo notaran sus compañeros, Joaquín se apartó del grupo que corría y se quedó rezagado. Al principio se detuvo; después, asegurándose de que nadie se había dado cuenta de su fuga, se puso a correr haciendo el camino de vuelta. No podía volar, no debía llamar la atención de nadie. Cuando aún estaba lejos, vio caer a la mujer. Tenía que darse prisa. Sentía el galope de los caballos y los gritos de los soldados acercándose. Por fin, llegó.

La mujer sufría mucho, se estaba muriendo, pero viendo a Joaquín sonrió y dijo:

—¡Salva a mi pequeño, te lo suplico!

Casi no quedaba tiempo. Tomó al niño entre los brazos y corrió por una cuesta que había al lado del sendero. Los soldados, que llegaron en ese momento, acabaron con la mujer sin piedad y empezaron a buscar al niño. Al principio parecía que no se habían dado cuenta de la presencia del ángel. Después oyó a uno de ellos decir:

—He visto moverse algo allí abajo.

Toda la zona estaba llena de matorrales y Joaquín no había encontrado nada mejor que refugiarse en uno muy grande. Dentro había una especie de hoyo pequeño. Joaquín cubría al niño con las alas volviéndolo invisible. Mientras, apoyado en la cadera, lo tenía entre los brazos. El niño estaba despierto, pero no lloraba. Lo miraba, casi parecía que le sonreía. Se parecía al pequeño Rey. A Joaquín le parecía que era idéntico a él, esa humanidad de los hombres era la humanidad de su Rey. Estaba envuelto en esa mirada y ese pensamiento cuando...

...De repente sintió algo que no había experimentado nunca.

—¿Qué me ha pasado? —pensó—. Siento un dolor fortísimo, punzante.

Algo le había atravesado el ala izquierda. Era la lanza de un soldado que rebuscaba entre los matorrales. Le había atravesado el ala y después se había apartado.

Sentía que su luz se oscurecía. Él no habría debido sentir ese dolor físico porque era un ángel. Y había algo más: ¡Ahora tenía miedo! Un soldado gritó:

—¡Vamos, aquí no hay nadie!

Joaquín sentía el dolor, pero seguía sumiéndose en la mirada del niño que tenía entre los brazos. Por culpa de ese niño estaba sintiendo dolor por primera vez. Podía sentirlo como él lo sentía y como él lo sentiría siempre. Y, sin embargo, esa mirada era maravillosa. No por la inocencia, ni por una gratitud imposible, dada su inconsciencia. Era una mirada maravillosa porque era idéntica a la del pequeño Rey.

En cuanto le fue posible salió del matorral y se dirigió hacia el pueblo. Cuando llegó, entró en una casa. Vio una cuna completamente vacía y puso en ella al niño, que se había dormido. Desde otra habitación llegaba el llanto de una mujer y podía oír las palabras de consuelo que el marido le daba. Salió rápidamente. El pequeño tenía una nueva familia y él tenía que volver a su grupo y a su misión. El ala le dolía, pero su luz era ahora más blanca que nunca.

¡Qué gran cosa eran estos pequeños hombres! Se podía beber de ellos tanta luz casi como del Manantial perenne del cielo.

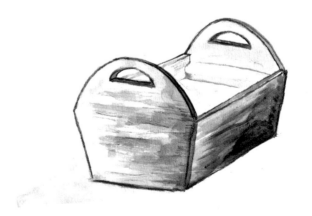

—¡Joaquín!

Reconoció enseguida la voz de Miguel, su máximo general y se quedó quieto y temblando.

—¡Tú y tus pensamientos! ¡Siempre tienes que hacer lo que se te antoja!—

Se hizo el silencio, los dos se miraban; mientras, todos los demás ángeles que acompañaban al general se detuvieron.

—Tu desobediencia debe ser castigada.

Siguió otro instante de silencio.

—Y tu amor tiene que ser premiado. Así es que recibirás tu premio, que será al mismo tiempo tu castigo, porque has amado de una manera extraña y nueva al pequeño Rey. Lo has amado del modo más cercano a su modo de amar, lo has amado amando a los hombres que él ama. Éste es tu castigo y también tu premio: estarás en medio de los hombres y velarás por tu Señor. Ya no tendrás que ir de un sitio a otro para estar a su lado.

Después, Miguel se acercó y, sin que los demás lo oyeran, le dijo:

—Alégrate, podrás contemplarle a Él en ellos y a ellos en Él.

Y así, en nombre de esta dulce condena, en nuestros días hay todavía un ángel con un agujero en el ala, un ángel al que todos pueden ver porque está ahí, al lado del sagrario, detrás del altar mayor, en la catedral de Milán.

—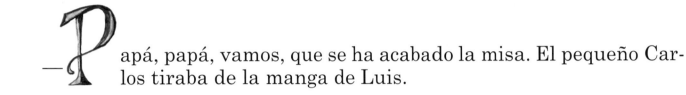apá, papá, vamos, que se ha acabado la misa. El pequeño Carlos tiraba de la manga de Luis.

—¡Has estado durmiendo durante toda la misa!

—Sí, perdóname, hijo, estaba cansadísimo. ¿Qué habrá pensado el sacerdote? Pero tú te has portado muy bien. Ahora abre bien los oídos porque el ángel con un agujero en el ala, el ángel enamorado de nuestra humanidad, el ángel Joaquín quiere que te cuente su historia mientras volvemos a casa con mamá…

P.D. En los años de la restauración del presbiterio de la catedral de Milán (entre los años ochenta y noventa) fue preparada, detrás del altar mayor, una capilla para las misas no festivas. Uno de los ángeles que están a los lados del sagrario tenía realmente un agujero en el ala, a diferencia de su compañero que mostraba dos alas perfectas.

Quien escribe puede asegurar que, fijándose bien en su rostro, en algunos momentos del día, cuando la luz es más blanca y pura y entra en la capilla y la ilumina, es imposible no reconocer en ese rostro vigilante y serio una sutil pero alegre sonrisa.